Direção-geral: *Bernadete Boff*
Editora responsável: *Maria Goretti de Oliveira*
Assistente de edição: *Milena Patriota de Lima Andrade*
Coordenação de revisão: *Marina Mendonça*
Revisão: *Ana Cecília Mari e Sandra Sinzato*
Gerente de produção: *Felício Calegaro Neto*
Design e coordenação do projeto: *André Neves*
Produção de arte: *Manuel Rebelato Miramontes*

1ª edição – 2013
7ª reimpressão – 2022

Dados Internacionais de Catalogação na Publicação (CIP)
(Câmara Brasileira do Livro, SP, Brasil)

Monteiro, Fabio
    A menina que contava / Fabio Monteiro ; ilustrações André Neves.
– 1. ed. – São Paulo : Paulinas, 2013. – (Coleção espaço aberto)

    ISBN 978-85-356-3620-8

    1. Literatura infantojuvenil I. Neves, André. II. Título. III. Série.

13-08686   CDD-028.5

Índices para catálogo sistemático:
    1. Literatura infantil   028.5
    2. Literatura infantojuvenil   028.5

Nenhuma parte desta obra poderá ser reproduzida ou transmitida por qualquer forma e/ou quaisquer meios (eletrônico ou mecânico, incluindo fotocópia e gravação) ou arquivada em qualquer sistema ou banco de dados sem permissão escrita da Editora. Direitos reservados.

Paulinas
Rua Dona Inácia Uchoa, 62
04110-020 – São Paulo – SP (Brasil)
Tel.: (11) 2125-3500
http://www.paulinas.com.br
editora@paulinas.com.br
Telemarketing e SAC: 0800-7010081

© Pia Sociedade Filhas de São Paulo – São Paulo, 2013

A MENINA QUE CONTAVA

Fábio Monteiro

Ilustrações André Neves

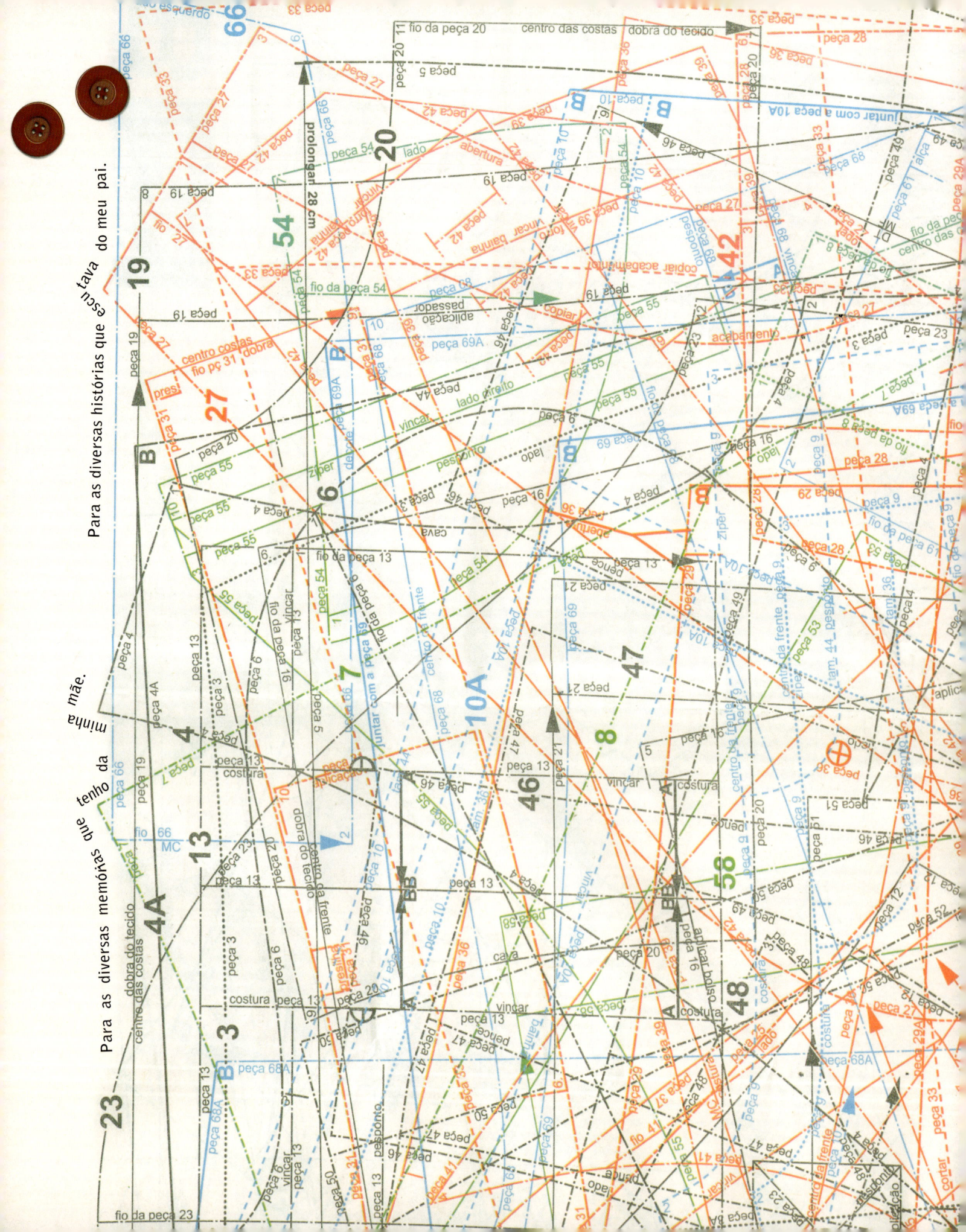

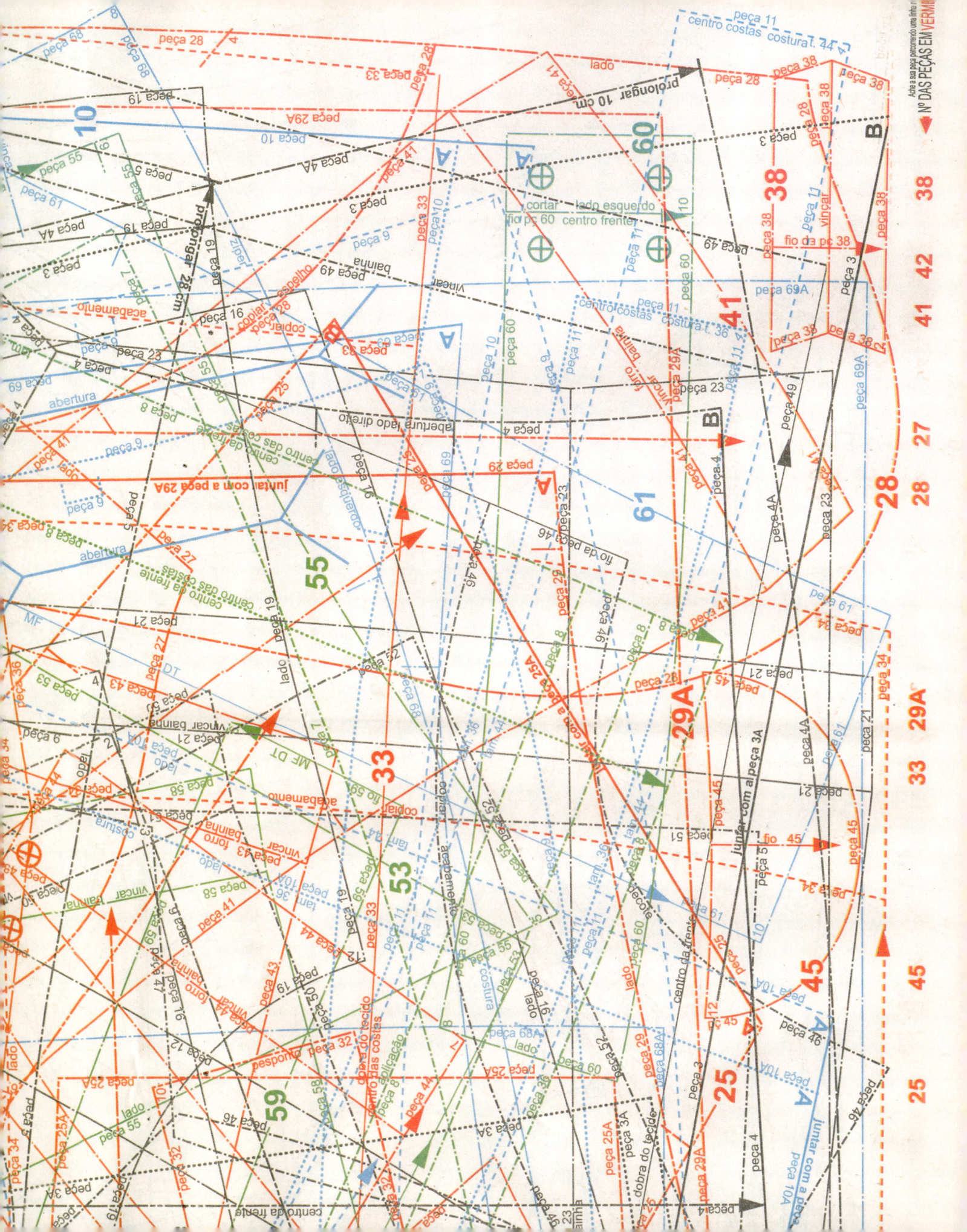

Sempre diferente da maior parte de suas amigas,

ALGA

enxergava números em todas as coisas, e nas coisas os números que conhecia.

Gostava de observar um velho casaco que sua mãe tinha lhe presenteado, quando era ainda muito pequena, e de **contar** seus botões como se eles estivessem enamorados por suas respectivas casas.

O primeiro botão
se enlaçava
na primeira casa
e os demais
repetiam o mesmo gesto.
Quando terminava
de abotoá-los,
dizia em voz alta:

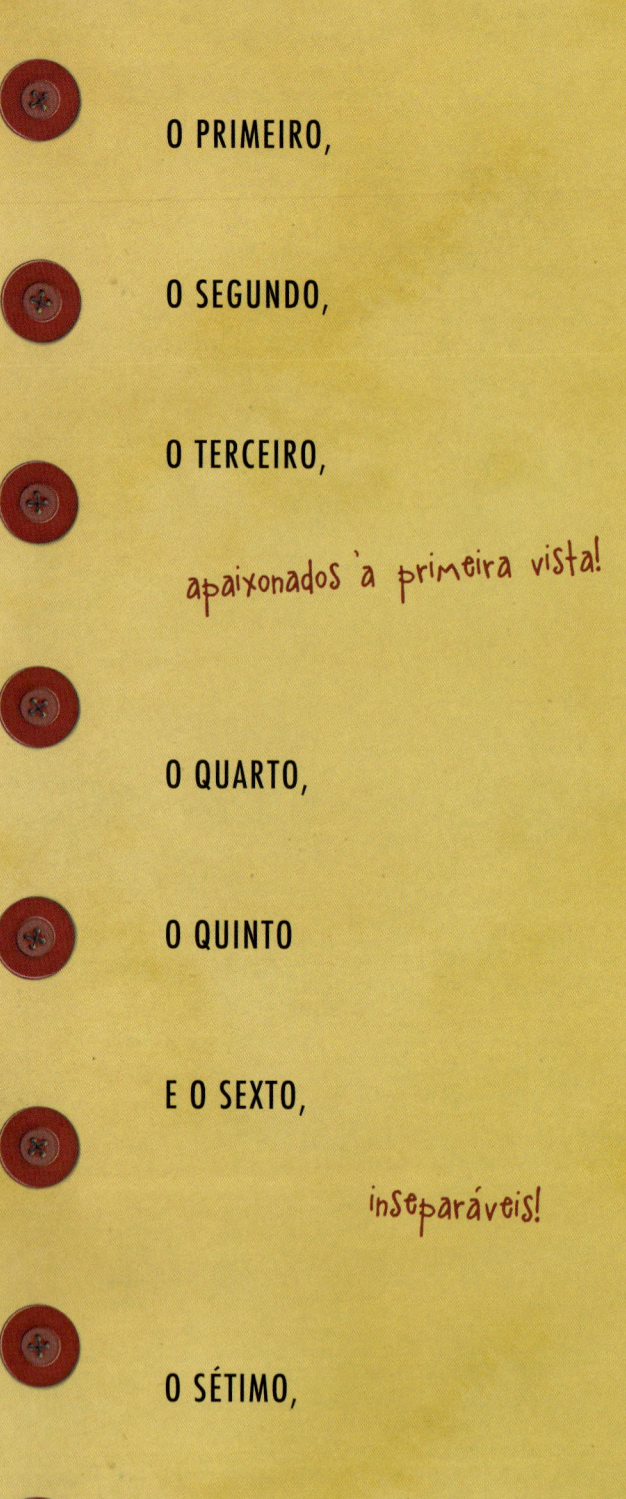

O PRIMEIRO,

O SEGUNDO,

O TERCEIRO,

apaixonados à primeira vista!

O QUARTO,

O QUINTO

E O SEXTO,

inseparáveis!

O SÉTIMO,

O OITAVO

E O NONO

se completam e se beijam, emoção inexplicável.

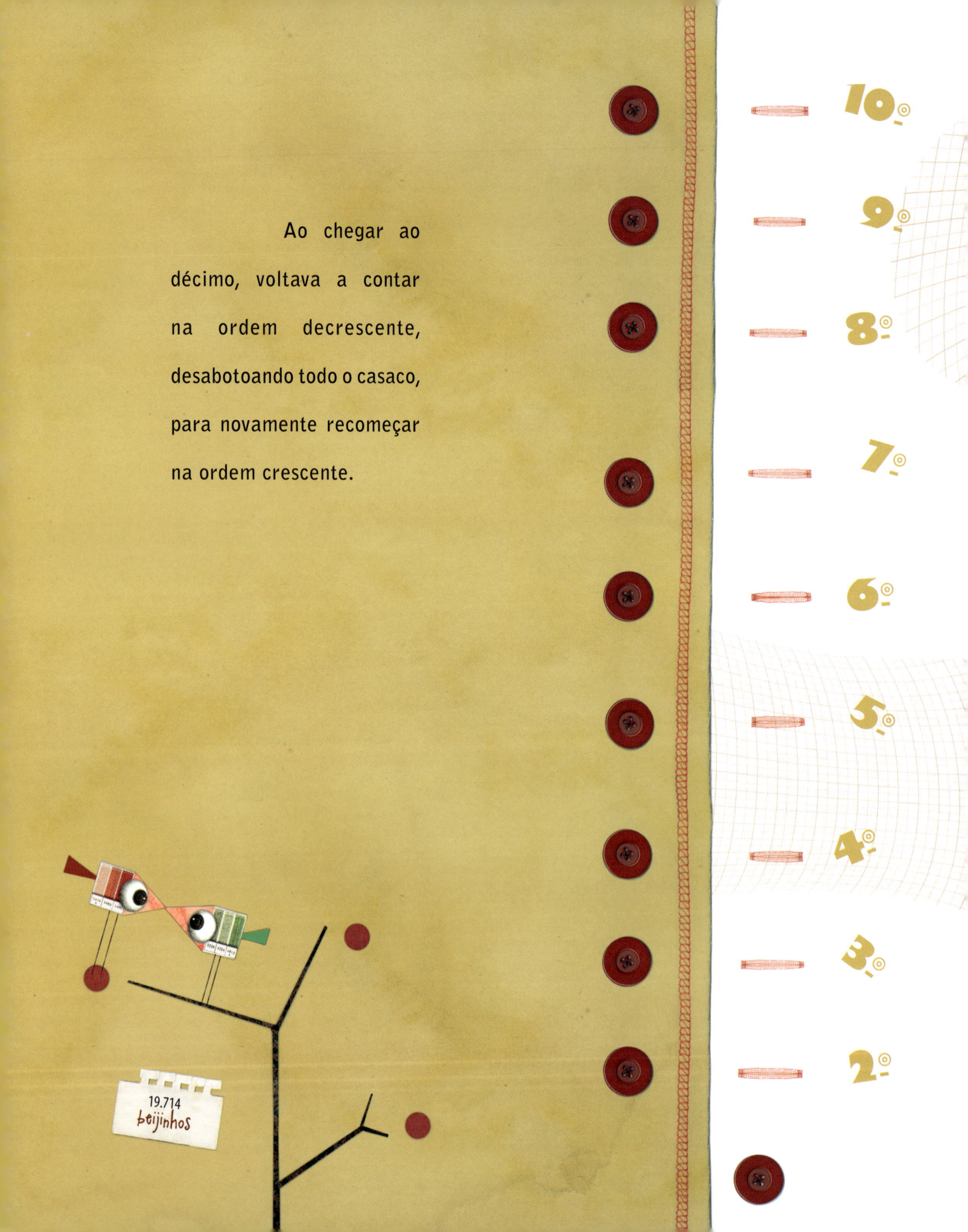

Ao chegar ao décimo, voltava a contar na ordem decrescente, desabotoando todo o casaco, para novamente recomeçar na ordem crescente.

19.714 beijinhos

10.º
9.º
8.º
7.º
6.º
5.º
4.º
3.º
2.º

Era uma brincadeira interminável que a fazia esquecer-se das horas.

Contava as estrelas e sempre faltava tempo para contar os bilhões de anos que cada uma delas possuía. Sabia que algumas estrelas que enxergava estavam mortas há milhares de anos-luz e fazia cálculos astronômicos e inventivos sobre o que não conseguia explicar nem entender.

Criava **fórmulas** mirabolantes para exemplificar suas suspeitas.

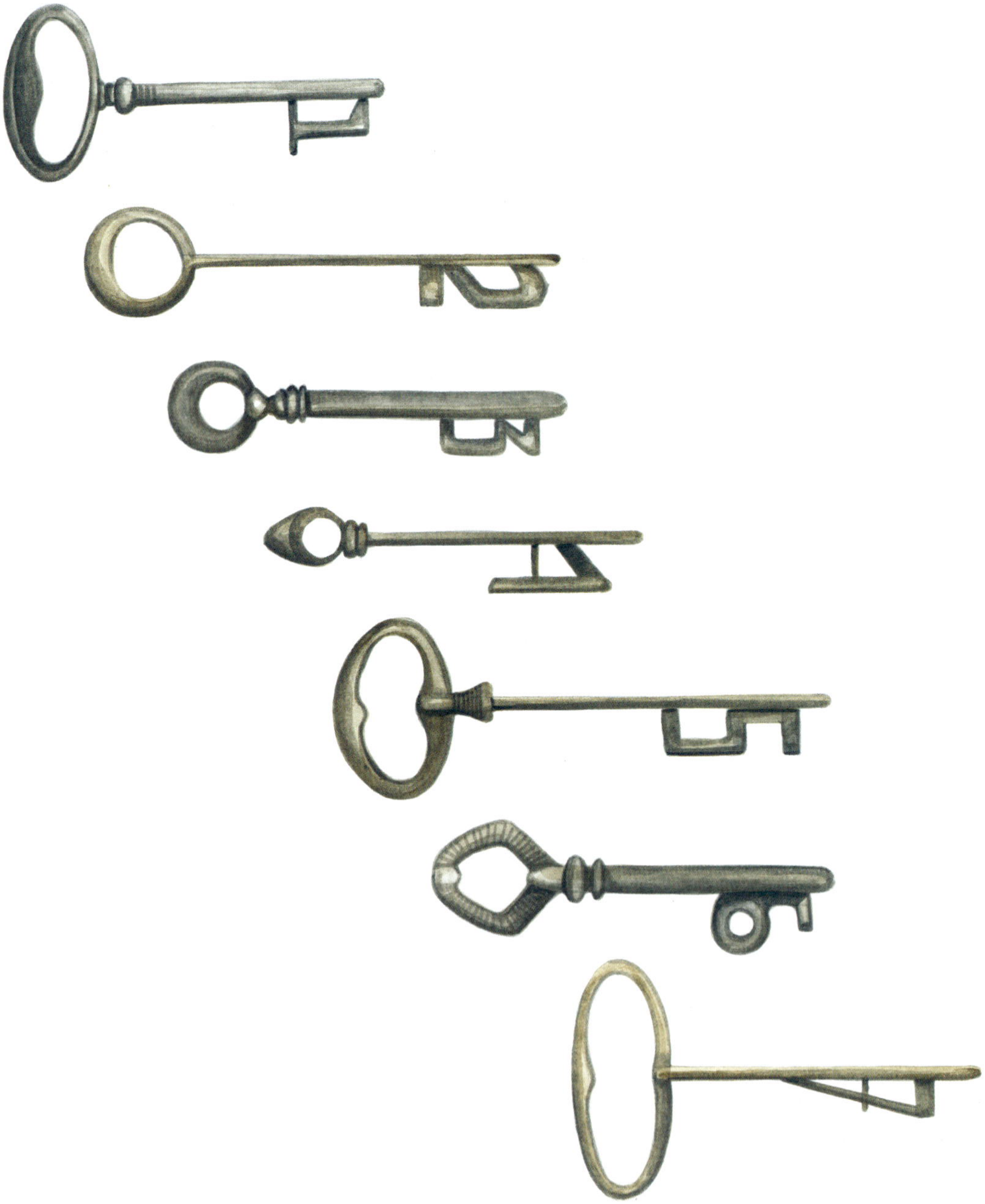

"A soma de dois números inteiros é sempre menor que um segredo guardado a sete chaves."

Em alguns cálculos, sua imaginação era suficientemente criativa para o seu entendimento, inventava histórias de viagens marítimas que os navegadores levariam cerca de **7** dias para chegar a seu destino.

Divertia-se com os números:

Se cada dia possui **24** horas,

e cada hora tem **60** minutos,

? quantos minutos são necessários para se chegar ao fim do mundo?

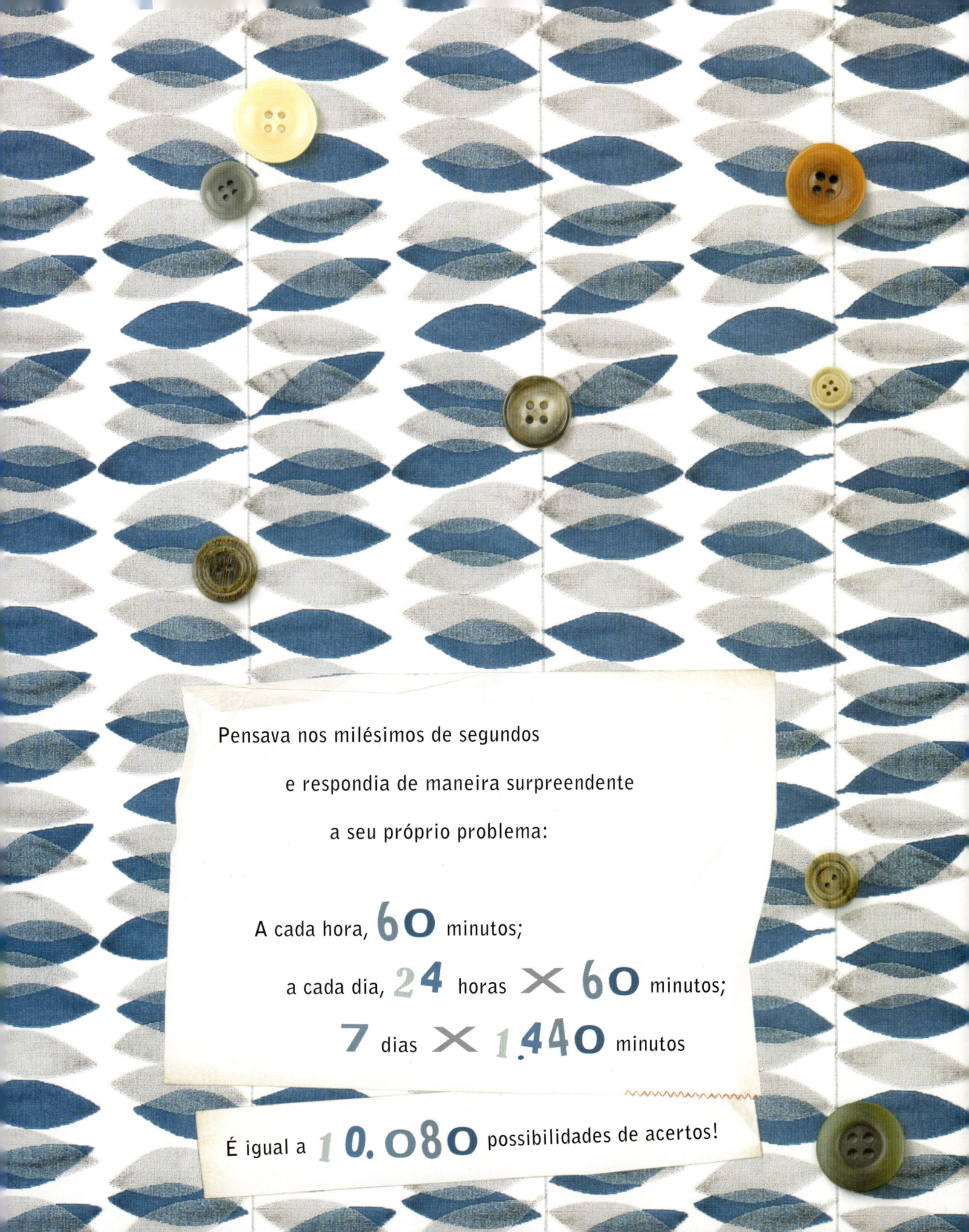

Pensava nos milésimos de segundos

e respondia de maneira surpreendente

a seu próprio problema:

A cada hora, **60** minutos;

a cada dia, **24** horas ✕ **60** minutos;

7 dias ✕ **1.440** minutos

É igual a **10.080** possibilidades de acertos!

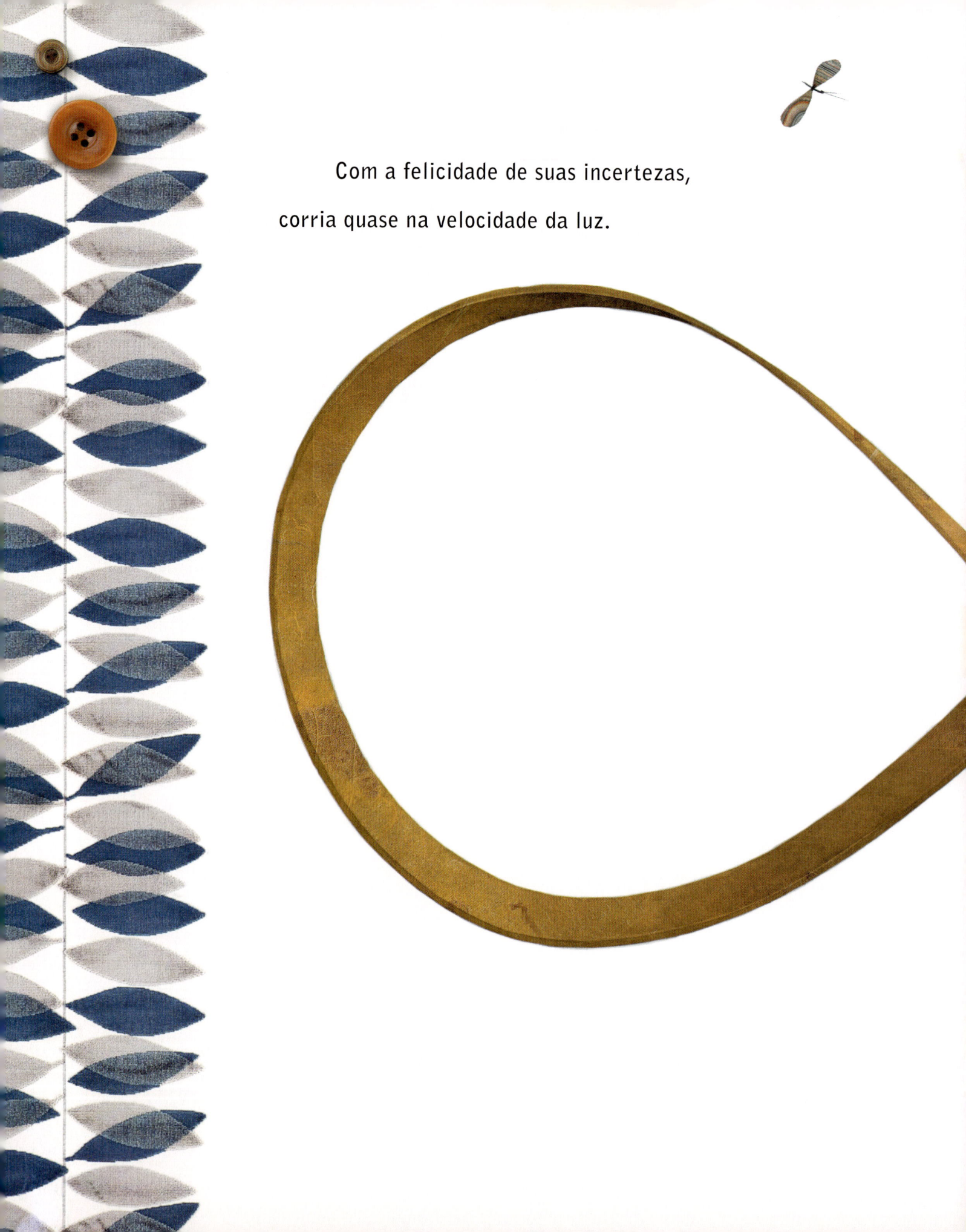

Com a felicidade de suas incertezas,
corria quase na velocidade da luz.

ALGA gostava dos números e os números gostavam dela. Sentia-se desafiada por eles na mesma proporção que os números eram desafiados por sua esperteza. Queria saber sempre um pouco mais sobre eles, e como eram infinitos!

Primeira da classe em matemática, fazia cálculos de olhos abertos, sem a utilização dos dedos; e, sem nenhuma culpa, segunda entre os colegas nas competições de operações: adição, subtração, multiplicação e divisão. Perdia de maneira proposital, só porque gostava de refazer alguns cálculos. Ganhava em dobro, divertindo-se com o desafio de acertar o que tinha errado e mantendo os amigos nas competições. Sabia que às vezes era necessário abrir mão de algumas coisas para ganhar outras melhores, e o valor que dava à amizade era incontável.

ALGA

contava as nuvens,

contava os carros, contava os sonhos!

Um dia, na volta da escola, contando os passos que dava até sua casa, um descuido, um escorregão. Ela tropeçou nos números que levava em sua cabeça.

Agora seu corpo imóvel no chão dava-lhe a sensação de que o mundo havia parado e que era impossível sentir a continuidade das 365 voltas que ele dava em torno do seu próprio eixo. Não conseguia se mexer. O que tinha acontecido com seu corpo composto de cerca de 206 ossos?

99, 98, 97, 96, 95, 94, 93, 92, 91, 90,

Perdeu as contas do impacto que essa queda lhe causou e preferiu aguardar estática, iniciando uma contagem regressiva até a chegada de algum amigo. Começou nos 100 e torcia por ajuda antes de zerar suas esperanças.

89, 88, 87, 86, 85, 84, 83, 82, 81, 80,

79 78 77 76 75 74 73 72

Foi rápido o socorro,
não chegou nem a 70 sua contagem.

10 minutos para chegar ao hospital,
25 minutos para colocar o gesso na perna esquerda.
02 dias para retornar à escola.

Contou, durante horas, essa história para uma plateia não contabilizada, e a vida prosseguiu no seu ritmo contínuo, dia após dia, semana após semana, mês após mês. E a cada ano a menina acumulava sabedoria e experiências diversas.

Contava, recontava e contava mais uma vez só para ter certeza dos milésimos de centímetros que seu corpo crescia a cada dia.

Esticou mais **70** centímetros e quando completou **20** anos conheceu um rapaz que também contava.

Só que contava histórias.

ALGA multiplicou as oportunidades preciosas dos bons encontros e casou uma única vez usando **1** vestido com inúmeros botões.

Juntos tiveram **2** filhos, um **1** menino e **1** outro também. E pensando nos mistérios da vida que faz todos acumularem milhões e milhões de coisas, passaram a dividir suas experiências com os outros.

Quem sabe um dia todos aprendam a acumular

boas histórias para contar e recontar!

Quem sabe...

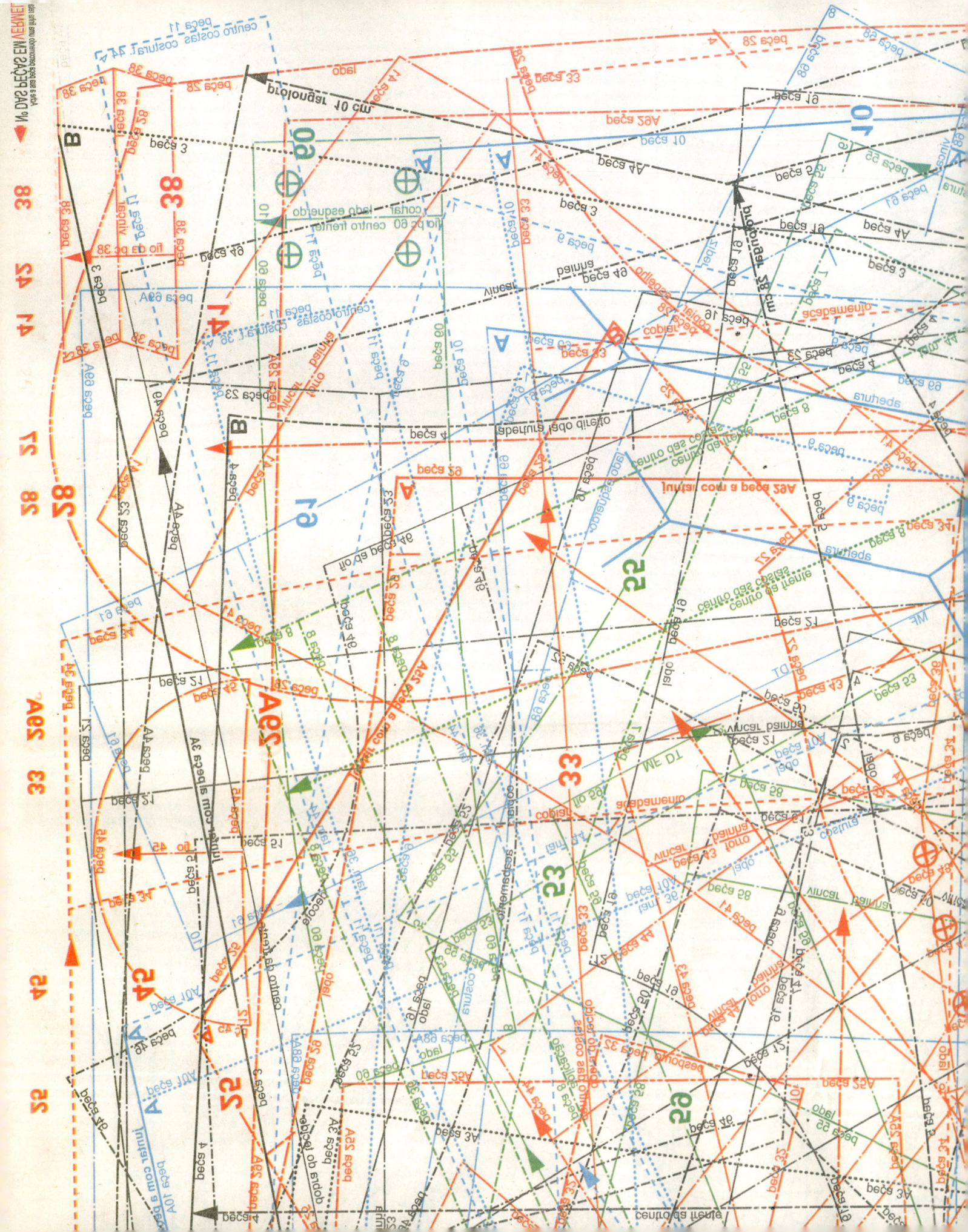

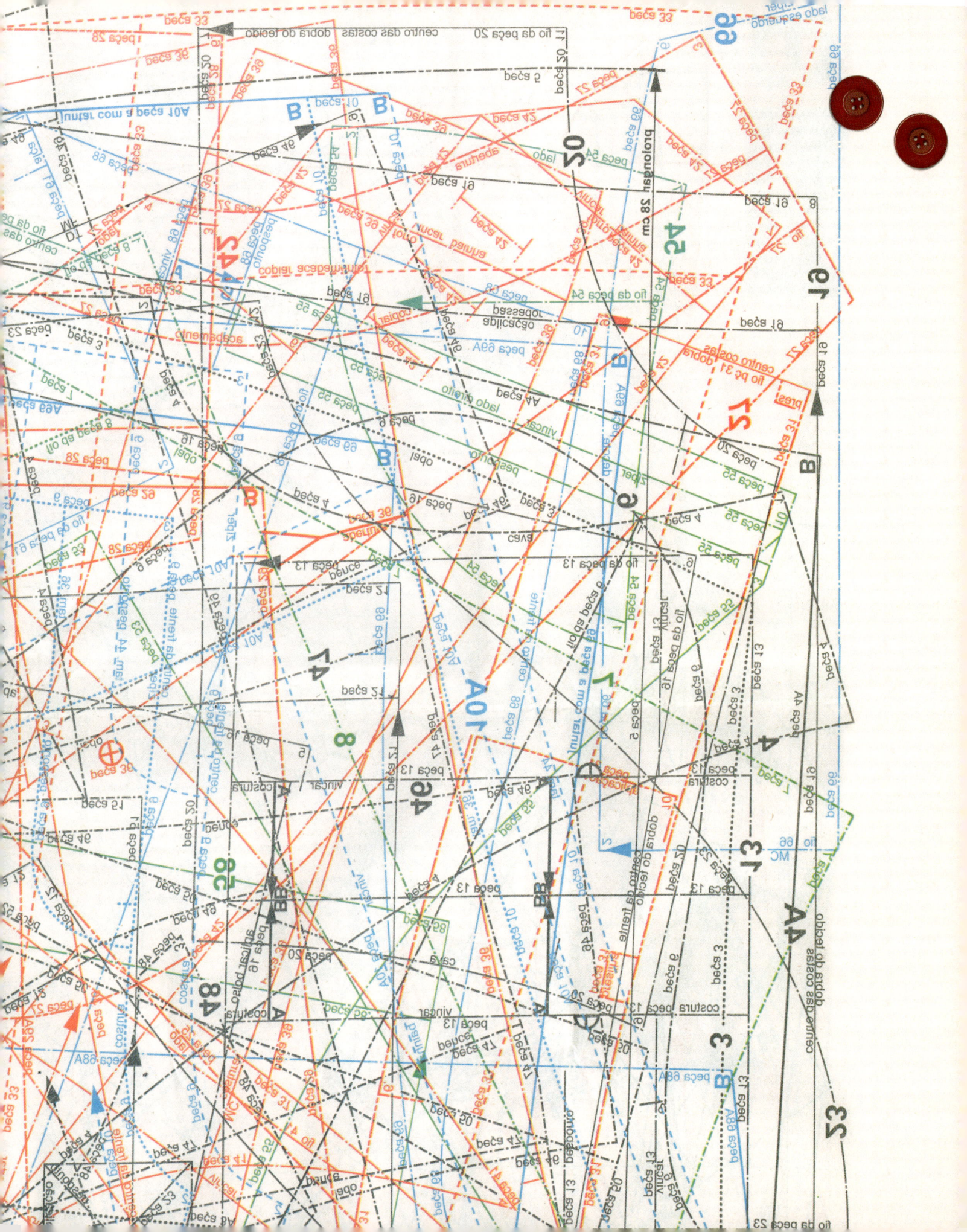